ELE CHAMOU O BONECO DE PINÓQUIO E PASSOU A CRIÁ-LO COMO UM FILHO. O HOMEM QUERIA QUE PINÓQUIO TIVESSE UMA VIDA NORMAL, MAS NÃO TINHA MUITO DINHEIRO. ENTÃO, ELE VENDEU SEU MELHOR CASACO E COMPROU LIVROS PARA O BONECO ESTUDAR. PINÓQUIO PEGOU SEU MATERIAL E PARTIU PARA A ESCOLA.

NO CAMINHO, PINÓQUIO VIU UM CIRCO E QUIS ASSISTIR À APRESENTAÇÃO DE MARIONETES. O GRILO FALANTE O ACONSELHOU A IR DIRETO PARA A ESCOLA, MAS O BONECO DESOBEDECEU. COMO NÃO TINHA DINHEIRO, TROCOU SEUS LIVROS POR UM INGRESSO. O DONO DO CIRCO GOSTOU DE PINÓQUIO E PEDIU QUE ELE PARTICIPASSE DA APRESENTAÇÃO.

COMO RECOMPENSA, PINÓQUIO GANHOU ALGUMAS MOEDAS DE OURO. MUITO FELIZ, ELE PARTIU DE VOLTA PARA CASA COM AS MOEDAS NO BOLSO. DE REPENTE, DOIS HOMENS MAUS APARECERAM E COMEÇARAM A CONVERSAR COM ELE. O BONECO NÃO IMAGINAVA QUE OS DOIS ESTAVAM MAL-INTENCIONADOS.

ESSES HOMENS CONVENCERAM PINÓQUIO A ENTERRAR AS MOEDAS PARA QUE NASCESSE UMA ÁRVORE DE DINHEIRO. ELES, ENTÃO, ROUBARAM AS MOEDAS E FUGIRAM. ASSUSTADO, O BONECO PEDIU AJUDA À FADA, MAS MENTIU PARA ELA, E O NARIZ DELE COMEÇOU A CRESCER. A FADA PERCEBEU A MENTIRA E ACONSELHOU PINÓQUIO A VOLTAR PARA CASA.

ENQUANTO ISSO, NA CASA DE PINÓQUIO, GEPETO ESTAVA MUITO PREOCUPADO COM A DEMORA DO BONECO E RESOLVEU SAIR PARA PROCURÁ-LO PELA CIDADE. NA PRAIA, O HOMEM ENTROU NO MAR E FOI ENGOLIDO POR UMA BALEIA.

DEPOIS DE MUITAS AVENTURAS PELO CAMINHO, PINÓQUIO CHEGOU À SUA CASA COM O GRILO, MAS NÃO ENCONTROU GEPETO LÁ. OS DOIS, ENTÃO, SAÍRAM PARA PROCURAR O HOMEM. ELES PEGARAM UMA JANGADA E ENTRARAM NO MAR, MAS TIVERAM O MESMO DESTINO DO CARPINTEIRO.

DENTRO DA BALEIA, PINÓQUIO E GEPETO SE REENCONTRARAM. ENTÃO, O BONECO, O PAI E O GRILO FALANTE ACENDERAM UMA FOGUEIRA, O QUE FEZ A BALEIA ESPIRRAR E JOGAR TODOS PARA FORA.

MUITO ARREPENDIDO DE TUDO O QUE HAVIA CAUSADO, PINÓQUIO PEDIU DESCULPAS A GEPETO E PROMETEU NUNCA MAIS MENTIR.